Edition Schott

Alfred Uhl
1909 – 1992

48 Etüden
48 Studies

für Klarinette
for Clarinet

Heft 2 / Volume 2

KLB 13
ISMN 979-0-001-09808-3

Heft 1 / Volume 1: KLB 12

www.schott-music.com

Mainz · London · Berlin · Madrid · New York · Paris · Prague · Tokyo · Toronto
© 1940/2004 SCHOTT MUSIC GmbH & Co. KG, Mainz · Printed in Germany

48 Etüden

Alfred Uhl

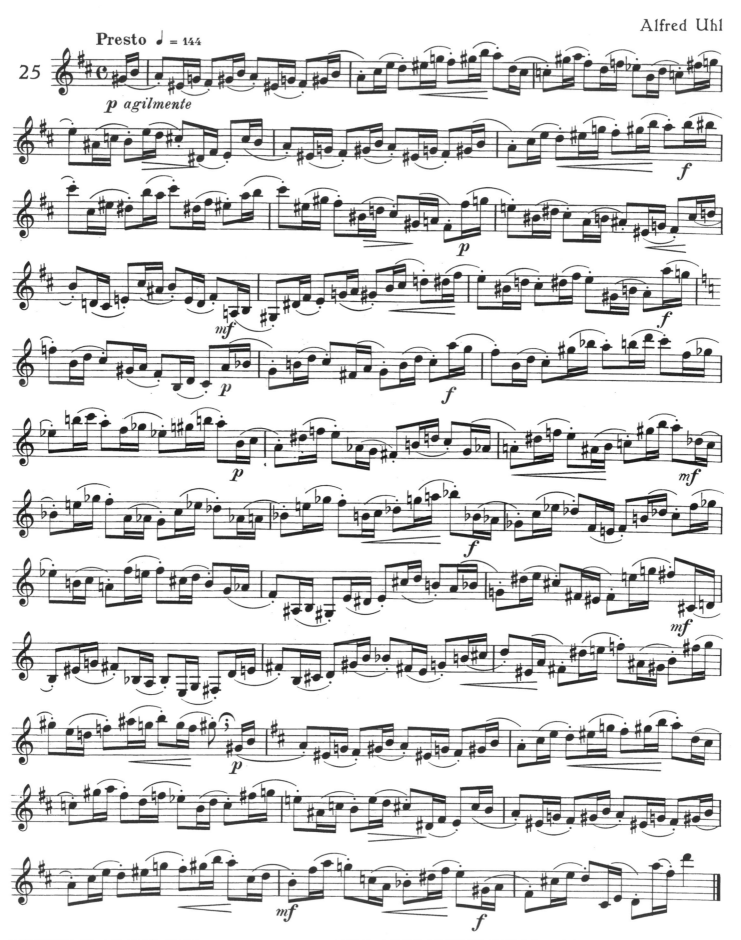

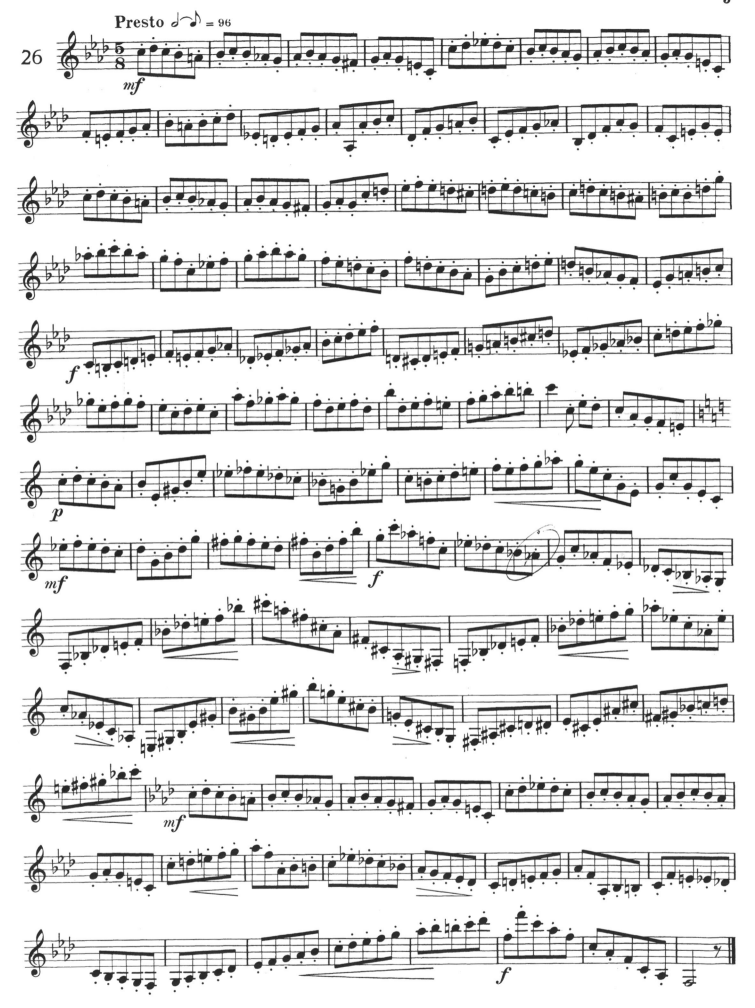

Moderato ♩ = 72

29

8

9

10

12

14

Allegro vivace, scherzando ♪ = 208

36

16

Etüde über ein Motiv aus dem „Kleinen Konzert" für Viola, Klarinette und Klavier *)

Alfred Uhl

*)Mit Genehmigung des Originalverlags Ludwig Doblinger (Bernhard Herzmansky) Wien, Berlin, Leipzig
Alfred Uhl, Kleines Konzert für Viola, Klarinette und Klavier

Allegro ♩ = 120

39

Allegro sostenuto ♩ = 108

47

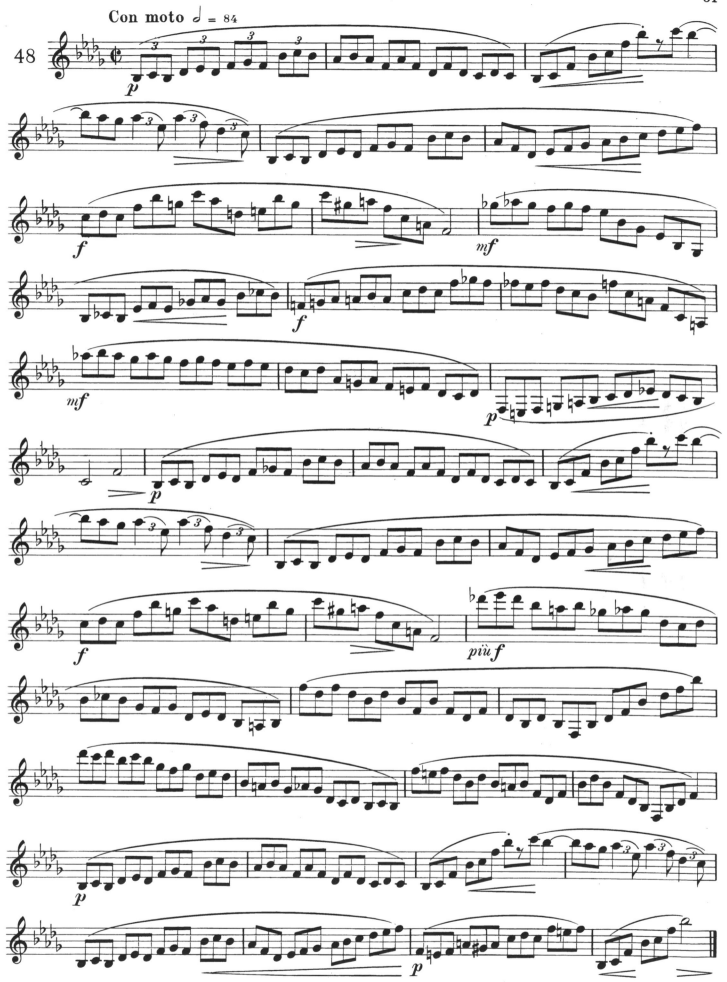

NACHWORT

Die vorliegenden Etüden sind als Ergänzung der bestehenden Studienwerke für Klarinette gedacht und sollen dem angehenden Klarinettisten die Möglichkeit geben, sich mit den besonderen Schwierigkeiten moderner Instrumentalmusik vertraut zu machen.

Gleichzeitig möchte ich an dieser Stelle dem ersten Solo-Klarinettisten der Wiener Philharmoniker und Lehrer an der Staatsakademie für Musik in Wien, Herrn Professor Leopold Wlach, meinen herzlichsten Dank für die wertvollen Anregungen und die gewissenhafte Durchsicht der Etüden aussprechen.

Alfred Uhl

POSTFACE

Les études ici présentées sont conçues comme un complément aux autres ouvrages destinés à l'enseignement de la clarinette et elles doivent permettre aux élèves de l'instrument de se familiariser avec les difficultés particulières à la musique moderne.

Je tiens à exprimer ici ma vive gratitude à M. Leopold Wlach, professeur à la Staatsakademie für Musik de Vienne et premier clarinettiste-solo de l'Orchestre Philharmonique de Vienne, de ses précieuses suggestions et de la conscience avec laquelle il a bien voulu revoir ces études.

Alfred Uhl

POSTSCRIPT

These studies are intended to complement the existing teaching material for the clarinet, making the budding clarinettist familiar with the difficulties peculiar to modern instrumental music.

I should like to take this opportunity to express my sincere thanks to Professor Leopold Wlach, first solo clarinettist of the Vienna Philharmonic Orchestra and teacher at the Vienna State Academy of Music, for his valuable suggestions and conscientious revision of the Studies.

Alfred Uhl